Dédé
télécommandé

Responsable de la collection : Frédérique Guillard

FANNY JOLY

Dédé
télécommandé

Illustrations de Jean-Christophe Thibert

NATHAN

Un papa et une maman
s'aimaient d'amour tendre.

Ils étaient très calmes,

très ordonnés, très propres,

très bien coiffés...

Ils rêvaient d'avoir un bébé

qui leur ressemble.

Quelques mois après,

justement, ils eurent

un bébé garçon.

Le papa et la maman décidèrent
d'appeler leur bébé André.
Mais entre eux,
ils l'appelaient Dédé.
La maman aimait ce petit nom
car il ressemble en même temps
à André et à bébé.

Chaque matin, elle se penchait
sur le berceau et chantonnait :
– Bébé Dédé, Dédé bébé,
Débédébédébé...

La maman tricotait de jolis
vêtements pour son Dédé,
avec plein de nœuds et de volants.
Elle rêvait souvent aux coiffures
qu'elle lui ferait
dès que ses cheveux
auraient poussé.
Le papa préparait un beau bureau
pour son Dédé, avec un cartable,
une gomme et plusieurs stylos.
Il réfléchissait souvent
à tout ce qu'il lui apprendrait.

Très vite, en grandissant,
Dédé étonna ses parents.
Il était beau, mais pas du tout
comme sa maman.
Son menton avait la forme
d'un sabot.
Ses cheveux partaient
dans tous les sens.
Dédé était intelligent,
mais pas du tout comme son papa

Au lieu de tout ranger,
il dérangeait tout.
Au lieu de tout coller,
il décollait tout.
Au lieu de tout plier,
il dépliait tout...
Et ainsi de suite, toute la journée.

Souvent, le soir, les parents
de Dédé se sentaient découragés.
La maman disait :
– Je ne comprends pas,
quand je lui dis de venir ici,
il part là bas !
   Et le papa :
– Moi, quand je lui dis de faire
ceci, il défait cela !

Un jour, le papa de Dédé
se frappa le front en disant :
– Je crois que j'ai une idée !
    Il monta dans son atelier.
Il sortit son marteau, ses vis,
ses tournevis, ses fers à souder.
Il travailla plusieurs jours
et plusieurs nuits sans s'arrêter.

Quand le papa redescendit,
il tenait deux objets bizarres :
un casque avec une antenne
et une boîte noire bourrée
de boutons.

– C'est quoi ? demanda
la maman.

– C'est pour télécommander
Dédé, répondit fièrement
le papa. Avec ça, tu vas voir :
il va nous obéir au doigt
et à l'œil !

Aussitôt, on installa le matériel
sur Dédé.

Et le papa fit la démonstration
de son invention :
– Tu vois, chérie, dit-il
à sa femme, si tu appuies
sur ce bouton, Dédé va avancer.
Si tu appuies sur celui-là,
il va reculer. Tu peux le faire
accélérer ou ralentir. Tu peux
même lui donner bonne mine
grâce au bouton marqué
« couleur ». Et baisser le son
de sa voix quand il pleure.

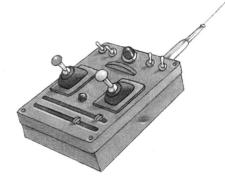

– Chéri, tu es un génie ! s'écria
la maman, enthousiasmée.

L'invention marchait
à merveille.
Par exemple, quand la maman
arrivait dans la cuisine
au moment où Dédé allait attaque
la réserve de chocolat,
elle saisissait la télécommande
et zap-zap-zap, elle le faisait
reculer hors du placard.

Si le papa surprenait Dédé
en train de faire des galipettes
dans le salon, il attrapait
la télécommande et zap-zap-zap,
il le faisait avancer
jusqu'à sa table de travail.

La rumeur se répandit
dans le quartier.
Pour un oui, pour un non,
les gens demandaient
une démonstration.
Et le papa était tout fier
de montrer comment Dédé
télécommandé pliait sa serviette,
triait ses chaussettes,
apprenait ses leçons...

Et ainsi de suite, toute la journée.
Les voisins, les cousins,
les amis voulaient tous des boîtes
noires pour télécommander
leurs enfants, eux aussi.

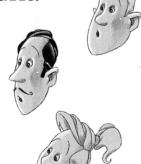

Dédé, lui, se faisait du souci.

Il trouvait que sa vie n'était plus
une vie.

– À quoi ça sert de se lever
le matin, pensait-il, si c'est
pour obéir, obéir, obéir,
et ainsi de suite toute la journée ?

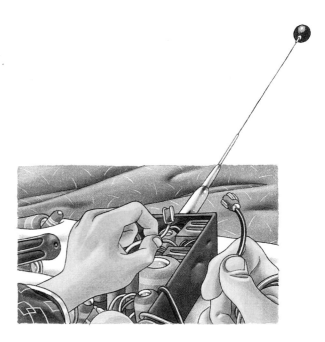

Un soir, il en eut tellement assez
qu'il monta dans l'atelier.
Il trafiqua les fils, les ressorts,
les boutons de la boîte noire
toute la nuit.
Le lendemain matin,
quand sa maman appuya
sur la télécommande pour sortir
Dédé du lit, au lieu de se lever,
il se rendormit !

Elle voulut le faire accélérer
vers son bol de petit déjeuner
mais il recula brutalement
et shblinnnggg : la nappe
dégringola avec lui !
Quand elle poussa le bouton
« bonne mine », il devint blanc
comme un cachet d'aspirine.

Et au moment de lui enfiler
son manteau, elle le retrouva
en caleçon au milieu de l'entrée !
En rentrant de l'école,
Dédé s'amusa à sauter
comme un kangourou,
à pieds joint dans les flaques
de gadoue.
Zap-zap-zap, son papa appuya
sur la télécommande
mais plaaaouf, Dédé plongea
dans la gadoue jusqu'au cou...

Et quand vint la nuit,
au lieu de se mettre au lit,
Dédé se mit à la fenêtre
pour chanter :
– Zut-crotte-crotte-flûte !
Impossible de baisser le son.
Tout le quartier fut réveillé.
Plusieurs voisins téléphonèrent
pour annuler leur commande
de télécommande.

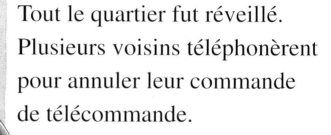

Les parents de Dédé étaient
consternés.
Le jour où Dédé escalada
la statue du rond-point pour jeter
des crevettes trempées
dans l'encre sur les passants,
son papa n'eut plus
qu'une solution : débrancher
son invention.

Depuis, la famille de Dédé
va beaucoup mieux.
Dédé a pris goût au bricolage.
Il passe des heures dans l'atelier.

Il a fabriqué lui même
un petit robot
entièrement télécommandé.
Il l'a offert à ses parents,
qui sont très fiers et très contents.
Maintenant, ils aiment leur Dédé
tel qu'il est, et pas télécommandé !

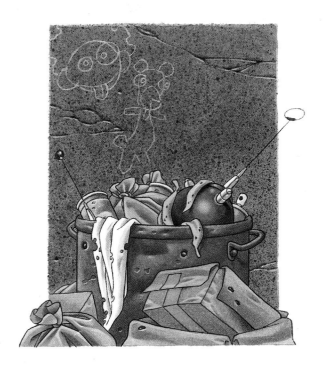

Fanny Joly

Elle n'a pas besoin de télécommande
pour inventer des histoires. Elle se met au travail
toute seule, avec beaucoup de plaisir,
dès que ses trois enfants lui laissent un moment
de libre (Heureusement, assez souvent).
Sans télécommande mais avec un stylo,
Fanny a écrit et publié une cinquantaine de livres,
pour les petits, les moyens et les plus grands.
L'une de ses fiertés est d'avoir remporté
de nombreux prix décernés par des jurys d'enfants.
D'enfants non télécommandés,
inutile de le préciser.

Jean-Christophe Thibert

Petit, il gribouillait, barbouillait, peinturlurait
les murs, les tables d'école, ses trousses, ses cahiers,
et même les bras de ses copains. Des kilomètres
de couleur et des montagnes de papier ! Plus tard,
il a décidé d'en faire son métier.

Dans la même collection

Arnaud Alméras

Barbichu et
la machine à fessées

Barbichu et
le détecteur de bêtises

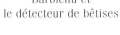

Calamity Mamie

Les vacances de
Calamity Mamie

Hubert Ben Kemoun

Tous les jours, c'est foot !

Même pas cap !

Nicolas-Jean Brehon

Un petit grain
de rien du tout

Claude Clément

Princesse Chipie
et Barbaclou

Bon anniversaire
Barbaclou !

Jean-Loup Craipeau

Un Noël à poils doux

Elsa Devernois

Qu'est-ce que tu me
donnes en échange ?

Danielle Fossette

Je ne veux pas aller
au tableau !

Je me marierai
avec la maîtresse

Jacqueline Frasca

Dent de loup

Claude Gutman

Comment se débarrasser
de son petit frère

Fanny Joly

Juliette Mangemiette

Dédé télécommandé

Thierry Lenain

Menu fille
ou menu garçon ?

N° d'Éditeur : 10039596-(I)-(8)-CSBA-170
Dépôt légal : mai 1997
Impression et reliure : Pollina s. a., 85400 Luçon - n° 71927-A
Conforme à la loi n° 49956 du 16 juillet 1949
sur les publications destinées à la jeunesse
ISBN .2.09.282448-1